Au point

EXAMINATION LISTENING
Student Workbook

Peter Dyson

Nelson

Thomas Nelson & Sons Ltd

Nelson House
Mayfield Road
Walton-on-Thames
Surrey KT12 5PL
United Kingdom

I(T)P® Thomas Nelson is an International
    Thomson Company
I(T)P® is used under licence.

First published by Thomas Nelson & Sons Ltd
1998

ISBN 0-17449072-0

9 8 7 6 5 4 3 2 1
02 01 00 99 98

Printed in UK by Hobbs the Printers Ltd,
Totton

Acknowledgements

Commissioning and Development – Clive Bell
Editorial and Design – Michael Spencer
Cover Design – Liz Rowe
Production – Gina Mance

**Les éditions Thomas Nelson
remercient *Radio France* d'avoir bien
voulu accepter que des extraits des
émissions de *France Inter* et *France
Info* soient repris dans cet ouvrage.**

Contents

Au Point Examination Listening Pack

This cassette and workbook have been developed to help you to prepare for the listening section of your advanced-level French examination and can be used on a self-study basis. The French news stories on the cassette match the topics in **Au point** and you will see from the list above that there are two or three recorded items for each chapter of the course.

Although one or two of these have been specially recorded, the majority have been taken straight from the French radio stations *France Info* and *France Inter*, so you will be hearing people talking at a totally natural speed! As in all parts of the world, some French people speak faster than others, so we have tried to grade the items for you; generally, the items with a faster delivery are presented second or third in a chapter and, where possible, kept to the later, rather than the earlier chapters.

The practice exercises in this workbook are similar to the tasks in your exam. There are usually two exercises per item and these have also been carefully graded (see below). The cassette transcripts and answers to the exercises are in the Teacher's Book and these can be photocopied for you by your teacher, if appropriate.

Chapters 1–6

- All the recorded items in chapters 1–6 have a VOCABULARY LIST on the page, to support you, plus a special INTRODUCTION, which is on the cassette and on the page of your workbook.

- The FIRST item in each of these chapters generally has TWO, SIMPLER EXERCISES and these can be tackled in the first few weeks of your course.

- The SECOND item (and the third, if there are three altogether) also has a VOCABULARY LIST and a RECORDED AND PRINTED INTRODUCTION. However, the exercises have been graded, so that the second exercise is slightly more difficult than the first one. If you find the first item in the chapter fairly easy, you might want to have a go at the second (and third) one, or wait until later in your course.

Chapters 7–15

- As you will probably be well into your course when you work on these chapters, the INTRODUCTIONS to these recordings ONLY APPEAR ON THE CASSETTE and are not printed in the workbook. However, all but the final item in each chapter has a VOCABULARY LIST, for support.

- The FINAL item in these chapters has NO VOCABULARY LIST and NO INTRODUCTION. It is designed to be as much like your examination as possible and you may want to wait until the last few months before your exam before tackling it. You could use it for revision.

Most advanced-level examinations allow candidates to use dictionaries during listening tests. However, you will not have much time in a listening exam to look up words, so it is a good idea to get yourself used to being selective about using a dictionary when you are working through these materials. Ask your teacher for information on your exam board's regulations about using dictionaries, how often each recording will be played or whether you will be using a personal stereo and how long the listening exam will last. The more you know what to expect, the better prepared you can be!

Bonne chance!

1a   * Les jeunes ne sont pas sérieux

Avant d'écouter le reportage

> **Notes et vocabulaire**
>
> | | |
> |---|---|
> | l'INSEE | l'Institut National de la Statistique et des Etudes Economiques |
> | le Robert | *the name of a French dictionary* |
> | *Bouillon de culture* | *a weekly cultural programme on French television* |
> | un papillon | *butterfly* |
> | une émission | *broadcast* |
> | zapper | *to change channels* |
> | une télécommande | *remote control* |
> | un sondage | *opinion poll* |
> | se prêter à | *to lend oneself to* |
> | picorer | *to peck* |
> | une miette | *crumb* |

Introduction

Dans ce reportage on donne des statistiques qui semblent indiquer que les jeunes Français ont perdu le goût de la lecture. On demande si c'est, peut-être, la faute à la télévision.

Après avoir écouté le reportage

1

Indiquez si les phrases suivantes sont vraies (✔) ou fausses (✘) selon le reportage :

a   Les jeunes gens interviewés préfèrent la lecture à la télévision.

b   Les jeunes zappent moins que les personnes plus âgées.

c   Selon Bernard Pivot, la pratique du zapping reflète la monotonie de la vie moderne.

d   Lire un livre exige trop d'effort et de patience pour la génération moderne.

2

Complétez les phrases (1–6) en choisissant des compléments (a–h) et en respectant le sens du reportage :

1	Ils sont incapables	a	est quelque chose de nouveau.
2	On n'a pas envie	b	à passer des heures avec un livre.
3	Une télécommande	c	de se concentrer.
4	Selon un sondage	d	de lire un livre quand il existe en version télévisée.
5	Les jeunes ont de la difficulté	e	79% des jeunes sont coupables de zapper.
		f	à accepter ce qui est nouveau.
		g	79% de jeunes Français ne lisent jamais un livre.
		h	sert à changer de programmes.

1b La dérégulation de la drogue

Avant d'écouter le reportage

Notes et vocabulaire

le Comité d'Ethique	*an official consultative body giving advice on moral issues*
la Commission Pelletier	*a commission set up to advise the French government on drugs*
Valéry Giscard d'Estaing	*French President from 1974 to 1981*
se pencher (sur)	*to study (a problem)*
sanctionner	*to punish*
nuisible	*harmful*
l'entourage	*people with whom one is in close contact*
en son sein	*amongst its members*
les drogues douces	*soft drugs*
en revanche	*on the other hand*
suranné	*out of date*
les opiacés	*opiates (drugs derived from opium)*
à court terme	*in the short term*
lié à	*linked to*
le poumon	*lung*
la cirrhose	*cirrhosis*
auditionner	*to hear (evidence)*
des tas de	*lots of*

Introduction

Faut-il changer la loi concernant l'usage des drogues pour distinguer entre les drogues douces et les autres qui sont plus dangereuses ? Ecoutez l'opinion du Comité National d'Ethique français.

Après avoir écouté le reportage

1

Complétez les phrases suivantes avec les mots exacts du reportage :

a   Il s'agit de sanctionner la ...(**1**)... de drogues quand elle est ...(**2**)... pour l'entourage.

b   En ...(**3**)... , on se montrerait plus tolérant pour ...(**4**)... privé des drogues.

c   Les malades graves du tabac, de l'alcool et de certains ...(**5**)... , sont plus ...(**6**)... que les malades des drogues.

d   La Commission Henrion, qui a auditionné des tas de ...(**7**)... , doit ...(**8**)... ses conclusions.

2

Répondez aux questions en français.

a   Qu'est-ce que le Comité d'Ethique a reconnu ?

b   Qu'est-ce que l'on sait aujourd'hui sur la consommation excessive d'alcool et de tabac ?

c   Quelle est la nouvelle classification proposée par le Comité d'Ethique ?

d   Quel risque est lié à la consommation des opiacés et des autres drogues de ce genre ?

e   Depuis combien de temps est-ce qu'on se penche sur le sujet des drogues ?

f   Qu'est-ce qu'on demande régulièrement au Professeur Henrion ?

Les relations personnelles

2a   * La géographie humaine

Avant d'écouter le reportage

Notes et vocabulaire

Le Quid	*an encyclopedia, published annually*
une coutume	*custom*
n'importe quoi	*anything at all*
un chiffre	*figure (number)*
autrefois	*formerly*
en moyenne	*on average*
tandis que	*whereas*
la baisse	*reduction*
le taux	*level*

Introduction

Les coutumes changent de génération en génération et sont différentes dans chaque pays. Dans le reportage qui suit, on nous donne des statistiques concernant le mariage en France, aujourd'hui et autrefois. Il faut noter qu'en France, on ne peut pas se marier uniquement à l'église, comme en Grande-Bretagne. Là, un mariage civil est obligatoire.

Après avoir écouté le reportage

1

Indiquez si les phrases suivantes sont vraies (✔) ou fausses (✘) selon le reportage :
   a   En France, un homme peut se marier plus jeune qu'en Grande-Bretagne.
   b   En France, en moyenne, les femmes se marient plus jeunes que les hommes.
   c   Aujourd'hui, on se marie plus jeune qu'autrefois.
   d   Le mariage est moins populaire que dans le passé.
   e   Il y a plus de divorces en France qu'en Grande-Bretagne.

2

Cherchez des extraits du reportage qui correspondent aux phrases suivantes :
   a   *Le Quid* est un livre où il y a beaucoup d'information sur des tas de sujets.
   b   En France, on doit se marier à la mairie.
   c   La cérémonie à l'église est facultative.
   d   19% des hommes et 18% des femmes vivent ensemble sans se marier.
   e   Il y a plus de divorces en Grande-Bretagne que dans tout autre pays d'Europe.

2b   Interview avec une jeune Française

Avant d'écouter le reportage

Vocabulaire

(la classe de) terminale	*final year of the lycée*
un diplôme	*degree*
vivre en union libre	*to live as a couple without being married*
affiner	*to put the finishing touches to*
un foyer	*home*

Introduction

Chantal est étudiante à l'Université d'Oxford. On va lui poser des questions sur sa vie personnelle et sur ses attitudes et ses projets.

Après avoir écouté le reportage

1

Donnez les détails suivants sur Chantal.
  a   Son âge : ......
  b   Ses frères et sœurs (Combien ? Qu'est-ce qu'ils font dans la vie ?) : ......
  c   Ses parents (Donnez le plus de détails possible.) : ......
  d   Ce qu'elle fait à Oxford : ......

2

Répondez aux questions suivantes :
  a   Quelle était la profession de sa mère ?
  b   Combien de temps sa mère a-t-elle pratiqué sa profession ?
  c   Pourquoi l'a-t-elle abandonnée ?
  d   Quand Chantal était au lycée, est-ce que beaucoup d'élèves avaient un ou une petit(e) ami(e) ?
  e   Pourquoi est-ce que si peu de ses ami(e)s sont déjà marié(e)s ?
  f   Pourquoi, selon Chantal, est-ce que peu de ses ami(e)s vivent en union libre ?
  g   Quelle est l'opinion de Chantal sur l'union libre ?
  h   Pourquoi est-ce qu'elle n'envisage pas de se marier pour l'instant ?
  i   Pourquoi, selon elle, est-il important que son futur mari et elle aient un diplôme ?

3   Une école pour la réussite ?

L'éducation

3a   * Les lycéens sont fatigués
Avant d'écouter le reportage

Notes et vocabulaire

Phosphore	*a weekly magazine for secondary school pupils*
Emile Zola	*a 19th century writer*
le baccalauréat	*an exam taken at the end of secondary school at the age of 18*
surchargé	*overburdened*
se plaindre	*to complain*
emmener	*to take*
afin de	*in order to*
quotidien	*daily*
le chemin	*journey*
s'inquiéter	*to worry*
une inquiétude	*a worry*

Introduction

Dans le reportage qui suit, on va nous donner des statistiques sur la vie des élèves dans les lycées et collèges de France. Il est évident que les élèves français ont une journée de travail plus chargée que les élèves britanniques. Alors, est-ce que les jeunes Français travaillent trop ou est-ce que les Britanniques ne travaillent pas assez ?

Après avoir écouté le reportage

1

Complétez les détails d'une journée typique de la jeune fille qui est interviewée :
a   L'heure à laquelle elle se lève : ……
b   L'heure de son arrivée à l'école : ……
c   Le nombre d'heures de cours par jour : ……
d   Le matin, les cours terminent à quelle heure ? …
e   Les heures de cours l'après-midi : de …… à ……
f   Comment elle voyage à l'école : ……
g   Le nombre d'élèves dans le lycée : ……
h   Le nombre de matières qu'elle étudie pour le baccalauréat : ……
i   La durée de la récréation : ……
j   Elle a combien d'heures de travail personnel ? ……

2

Complétez les phrases (1–7) en choisissant les compléments (a–i) et en respectant le sens du reportage :

1   On s'inquiète
2   Les jeunes ont téléphoné
3   *Phosphore* a consacré un numéro
4   On a trouvé que
5   On se plaint que
6   On a demandé à
7   Tous les jours,

a   à ce sujet.
b   le programme est surchargé.
c   une jeune lycéenne de raconter une journée typique.
d   au sport.
e   beaucoup de lycéens estiment que leur vie est surchargée.
f   de la santé des élèves.
g   pour communiquer aux experts leurs inquiétudes.
h   nous avons un quart d'heure de récréation.
i   il y a trop de sport.

3b   L'éducation sanitaire dans les collèges

Avant d'écouter le reportage

Notes et vocabulaire

tenir à	*to value*
la Croix Rouge	*Red Cross*
le SIDA	Syndrome Immunodéficitaire Acquis (*AIDS*)
la rentrée	*start of the school year*
un animateur	*project director*
sensibiliser	*to make aware*
le secourisme	*competence in first aid*
le côté vivant	*relevance*
l'enseignement	*teaching*
aborder	*to approach (a topic)*
la plongée sous-marine	*skin diving*
gérer	*to manage, to deal with*
appartenir	*to pertain to, to be up to*
prendre en compte	*to take account of*
impliquée au niveau associatif	*involved in an associate capacity*
auprès de	*in the case of*
renouveler	*to renew*
étendre	*to extend*

Introduction

Quand on est jeune, on n'est pas préoccupé par les questions de santé. Mais les experts nous disent qu'on peut déjà prendre des mesures qui vont influencer sa santé plus tard dans la vie.

Après avoir écouté le reportage

1

Complétez les phrases suivantes avec les mots exacts du reportage :
- **a** Dès la rentrée, des ...(**1**)... viendront sensibiliser 15.000 adolescents à leur santé.
- **b** Depuis l'apparition du SIDA, l'Education Nationale multiplie les ...(**2**)... de ...(**3**)... .
- **c** On peut très bien aborder la santé en ...(**4**)... du ...(**5**)... .
- **d** Les jeunes sont très ...(**6**)... à cette idée de dialogue.
- **e** On se dit : «Les problèmes de santé, ça ...(**7**)... beaucoup plus ...(**8**)... ».

2

Répondez aux questions suivantes :
- **a** Quelles sont les classes visées par le programme de la Croix Rouge ?
- **b** Les dix-sept heures de cours auront quelle forme ?
- **c** Quels sont les deux sports mentionnés qui comportent un risque ?
- **d** A quel point la Fédération des Familles de France est-elle active dans les programmes de prévention ?
- **e** Comment la prévention santé peut-elle aider à la réduction des dépenses de santé ?

3c   Les sans domicile universitaires

Avant d'écouter le reportage

Notes

Jussieux	*one of the universities of Paris*
une fiche Ravel	*students wanting a university place can enrol by Minitel*

Introduction

Un des problèmes qui touchent tous les pays d'Europe en ce moment est celui du logement. On entend parler souvent des «sans-abri» ou des «sans domicile fixe». Dans le reportage qui suit on parle de «sans domicile» mais ici, il s'agit non de logements ordinaires, mais de places à l'université.

Après avoir écouté le reportage

Faites un résumé du reportage en donnant plus de détails sur les titres suivants :
Qui sont les SDU ?
Ce que les étudiants ont fait à Jussieux.
La promesse faite par le Vice-chancelier des universités de Paris.
Les filières qui ont le moins de débouchés.
Le problème des étudiants en Psychologie.
Ce que le syndicat étudiant a l'intention de faire.

La santé

4a * La mortalité en France

Avant d'écouter le reportage

Vocabulaire

l'espérance de vie	*life expectancy*
augmenter	*to increase*
une amélioration	*improvement*
inégal	*unequal*
un métier	*trade or profession*
exercer	*to practice, to work in*
le milieu	*setting, surroundings*
le décès	*death*
lier	*to tie or link to*
le comportement	*behaviour*
guérir	*to cure*
le dépistage	*detection*

Introduction

On parle souvent du «troisième âge» mais maintenant, on commence aussi à parler du «quatrième âge» car les gens vivent plus longtemps et une personne qui a 70 ans n'est plus considérée comme une personne âgée. Mais même aujourd'hui, trop de personnes meurent prématurément, avant l'âge de 65 ans. Dans ce reportage, on fait un analyse des raisons de cette mortalité précoce.

Après avoir écouté le reportage

1

Indiquez si les phrases suivantes sont vraies (✔) ou fausses (✘) selon le reportage :

   a   En France, les hommes vivent plus longtemps que les femmes, en moyenne.
   b   L'espérance de vie varie selon le milieu social et le métier que l'on exerce.
   c   Les gens qui se suicident sont surtout des personnes âgées.
   d   On pourrait éviter beaucoup de décès si on utilisait les moyens de dépistage dont on dispose déjà.

2

Donnez les détails suivants :

   a   En 1930, un homme pouvait espérer vivre environ ...... ans.
   b   Aujourd'hui, une femme peut espérer vivre environ ...... ans.
   c   Le nombre de personnes qui meurent prématurément chaque année : ......
   d   Le nombre de suicides en France chaque année : ......
   e   Le nombre de tentatives de suicide en France chaque année : ......

4b Les enfants du monde

Avant d'écouter le reportage

Notes et vocabulaire

l'UNICEF	Fonds des Nations Unies pour Enfance *(United Nations Children's Emergency Fund)*
le SIDA	Syndrome Immunodéficitaire Acquis *(AIDS)*
améliorer	*to improve*
être grand clerc	*to be an expert*
mesuré	*measured, restrained*
reculé	*distant, remote*
les pays sous-développés	*under-developed countries*
échapper à	*to escape from*
la cécité	*blindness*
l'iode	*iodine*
la carence	*deficiency*
arriéré	*retarded*
le crétinisme	*cretinism*
ponctuellement	*here and there*
un orphelin	*orphan*
l'analphabétisme	*illiteracy*
avoir du mal à	*to have difficulty in*
élever	*to bring up*

Introduction

Dans ce reportage, on présente un rapport sur la santé des enfants du monde, surtout dans le tiers monde. Il paraît que leur situation s'est améliorée par la vaccination et la distribution de vitamines. Mais la situation est difficile dans différentes parties du monde à cause des guerres.

Après avoir écouté le reportage

1

Complétez les phrases suivantes avec les mots exacts du reportage :

  a La malnutrition pèse moins sévèrement sur …(**1**)… .
  b 750.000 enfants échappent aux …(**2**)… aussi injustes que, par exemple , …(**3**)… .
  c On est en train de …(**4**)…ce problème.
  d Ajouter de l'iode dans le sel coûte …(**5**)… par personne et par …(**6**)… .
  e En l'an 2000, il y aura un million d' …(**7**)… du SIDA.

2

Répondez aux questions suivantes :

  a Qu'est-ce qui a aidé le plus à diminuer la mortalité infantile ?
  b De quoi un enfant a-t-il besoin pour ne pas devenir aveugle ?
  c Par quel moyen ce remède est-il administré ?
  d Combien de fois par an doit-on donner cette dose et quel en est le prix ?
  e Qu'est-ce qu'on risque si on n'absorbe pas assez d'iode ?
  f Quel est le problème dont souffrent les mères et qui rend difficile le développement des enfants ?

4c   Le rire et le sourire sont bons pour la santé

Avant d'écouter le reportage

Notes

cartésien	someone who accepts the principles of the philosopher René Descartes (1596–1650) based on deduction and logic
un ouistiti	a small monkey; when you pronounce this word you are forced to smile

Introduction

Les Français parlent souvent de l'«humour anglais» et se considèrent comme un peuple sérieux, formé selon les principes de Descartes. Mais les médecins essaient de les persuader que rire et sourire, ça fait du bien.

Après avoir écouté le reportage

1

Complétez les blancs dans le texte avec les mots exacts du reportage :
C'est excellent pour la digestion, un vrai …(**1**)… contre la constipation, la spasmophilie, le stress et l'insomnie. Mais cette information fait …(**2**)… les Français. Nous ne sommes pas du (**3**)… à nous esclaffer pour la première plaisanterie venue. Nous sommes cartésiens et …(**4**)… de l'être. Nous adorons râler et avons …(**5**)… cette vérité …(**6**)… : la vie est tellement …(**7**)… pour qu'on la …(**8**)… au sérieux.

2

Répondez aux questions suivantes :
a   Quels sont les avantages de l'humour dans une entreprise ?
b   Selon le reportage, comment les entreprises apprécient-elles ces avantages ?
c   En général, qu'est-ce qu'on trouve au supermarché du rire ?
d   Comment, à l'Hôpital Rothschild, veut-on aider ceux qui souffrent d'un blocage psychologique ?
e   Qu'est-ce que les Français devraient faire ?

5   Evasion

Les loisirs

5a   * Les refuges de haute montagne

Avant d'écouter le reportage

Notes et vocabulaire

un alpiniste	mountaineer
un grimpeur	climber
ensommeillé	half asleep
une randonnée	ramble
un hébergement	lodging
un dortoir	dormitory
déguster	to taste, to sample
montagnard	mountain (adjective)
un palier	landing, half way stage
un goujat	boorish person
avoir le nez enfariné (de farine)	to give oneself airs

des chaussons	*indoor shoes*
une porcherie	*pigsty*
un nounours	*teddy bear (here: bedtime)*
ronfler	*to snore*

Introduction

Dans la haute montagne, dans les Alpes par exemple, il y a plus d'alpinistes qu'autrefois. Ces grimpeurs sérieux ont l'habitude de passer la nuit sur la montagne pour pouvoir monter plus haut le lendemain. Pour faciliter cela, on a fourni des refuges, des logements qui, autrefois, étaient assez primitifs. Les clients modernes deviennent plus exigeants et les refuges de plus en plus confortables.

Après avoir écouté le reportage

1

Complétez les blancs dans le texte avec des mots exacts du reportage :

On y trouve un …(**1**)… tout à fait correct avec des …(**2**)… acceptables et même, parfois, des petites chambres pour …(**3**)… ou petits …(**4**)… .On peut y …(**5**)… un repas montagnard de bon …(**6**)… préparé par le …(**7**)… , prendre une …(**8**)… et passer une bonne nuit avant de …(**9**)… ou de …(**10**)… , car de plus en plus, on …(**11**)… le refuge comme …(**12**). de promenade et non comme un palier vers de plus hauts …(**13**)… . Cela dit, un refuge reste un …(**14**)… sommaire, fragile, où il n'est pas question de se …(**15**)… en goujat.

2

*Complétez les phrases (**1–5**) en choisissant des compléments (**a–h**), et en respectant le sens du reportage :*

1	On se contentait autrefois	**a**	fixe les règles.
2	Bon nombre des refuges	**b**	sont équipés de téléphones.
3	De plus en plus,	**c**	sont de véritables hôtels.
4	La plupart des refuges	**d**	d'un confort rudimentaire.
5	Le gardien	**e**	on utilise les refuges comme but de promenade.
		f	d'un repas préparé par le gardien.
		g	offrent un confort assez rudimentaire.
		h	ont utilisé les refuges comme un palier vers de plus hautes sommets.

5b   Quatre conseils pour rouler quand il fait chaud

Avant d'écouter le reportage

Notes et vocabulaire

le SAMU	le Service d'Aide Médicale Urgente
le pont du 14 juillet	*when a public holiday, like the 14 July, falls on a Thursday, people tend to 'make a bridge' and don't work on the Friday*
être conscient de	*to be conscious of, aware of*
lourdement payer son tribut	*to pay a heavy price*
par perfusion	*by drip feed*
une goutte	*drop*
un bouchon	*tail back*
diurétique	*diuretic*
l'ombre	*shade*
mouiller	*to dampen*

Introduction

Les voitures deviennent de plus en plus confortables et sophistiquées. Mais si vous n'avez pas la climatisation, écoutez ces conseils d'un expert pour voyager en voiture quand il fait chaud.

Après avoir écouté le reportage

1

Répondez aux questions suivantes :
   a   Qu'est ce que la météo prévoit ?
   b   Cela est dangereux pour quelles catégories de personnes ?
   c   Quelle est la profession de Gilbert Prost ?
   d   Quel est le premier conseil de Gilbert Prost ?
   e   En quelle année a-t-il fait très chaud ?
   f   Nommez trois parties du corps qu'il faut mouiller quand ça ne va pas bien dans la chaleur.

2

Cherchez des extraits du reportages qui correspondent aux phrases suivantes :
   a   Il va faire chaud encore, et voyager en voiture n'est pas du tout confortable.
   b   On ne devrait pas être surpris s'il y a des problèmes de circulation.
   c   Il faut boire de l'eau seulement.
   d   Le thé et le café ne sont pas les meilleures boissons dans la chaleur.
   e   Si on a des problèmes, il faut réagir sans délai.

5c   Le Futuroscope de Poitiers

Avant d'écouter le reportage

Introduction

Dans ce reportage, on donne des détails sur un parc de loisirs consacré à la technologie de l'image qui est situé près de la ville de Poitiers.

Après avoir écouté le reportage

1

Donnez les détails suivants :

  a Le nombre de visiteurs pour le premier semestre de '95 : ......
  b La date d'ouverture du parc : ......
  c Le nombre d'emplois créés en dix ans : ......
  d Les jours d'ouverture : ......
  e Les tarifs : ......

2

Mettez les phrases suivantes dans l'ordre dans lequel elles sont présentées dans le reportage :

  a Et en 1995, on va créer quelques cinq cents emplois à durée indéterminée.
  b Une formidable avancée sociale : on a multiplié l'emploi par plus de vingt depuis l'ouverture du parc.
  c Il y a du plaisir, mais aussi du sens.
  d Et enfin, un challenge, parce que faire toujours plus, c'est mieux.
  e Ecoutez, ce sont ces formidables spectacles d'images qui utilisent d'abord des écrans géants.
  f Un chiffre qui traduit une progression de 20% par rapport à '94.

6   Si j'avais des sous

L'argent et le monde du travail

6a   * Les guichets «Initiative Emploi»

Avant d'écouter le reportage

Notes et vocabulaire

Alain Juppé	*former Prime Minister of France*
un département	*there are 96 administrative regions in France, plus four overseas*
la Légion d'Honneur	*created in 1802 by Bonaparte as a reward for civil and military services*
un guichet	*service position, as in a station or post office*
l'issue	*end, outcome*
une démarche	*step (as in a process)*
l'embauche (embaucher)	*taking on in employment*
un concessionnaire	*franchise holder*
un réseau	*network*
un devoir	*duty*
une pièce de rechange	*spare part*
un gestionnaire	*manager*
un magasinier	*store keeper*

Introduction

Le chômage constitue un des plus grand problèmes sociaux et les gouvernements ont beaucoup de difficulté à réduire le nombre de «sans emploi». Le reportage qui suit donne des détails d'une initiative du gouvernement d'Alain Juppé, ancien Premier Ministre de la France. Il a établi des bureaux dans chaque département de la France pour aider les sans emploi à trouver un poste. Il a crée un titre spécial pour les firmes qui font des efforts pour créer des emplois : le label «Entreprise Citoyenne».

Après avoir écouté le reportage

1

Répondez aux questions suivantes :
   a Combien de guichets y aura-t-il par département ?
   b A quoi compare-t-on le label «Entreprise Citoyenne» ?
   c Combien de jeunes seront embauchés par Renault ?
   d Les jeunes embauchés auront quel âge ?
   e Quel est la fonction de Philippe Dutilleux ?
   f Combien d'entreprises y a-t-il dans le réseau des concessionnaires de Renault ?
   g Quel est le nom préféré des activités après-vente ?

2

Complétez les phrases (1–5) en choisissant des compléments (a–h) et en respectant le sens du reportage :

1 Les guichets «Initiative Emploi»
2 Nous avons la volonté
3 Nous pensons que
4 Le Premier Ministre a décidé
5 Nous mettons ces gens-là

a en contact avec les clients.
b dans l'ensemble des entreprises.
c seront mis en place d'ici l'automne.
d de passer à mille.
e nous avons un devoir vis-à-vis des jeunes.
f le commerce de la pièce de rechange est un travail de magasinier.
g ont été créés par Renault.
h de créer un label «Entreprise Citoyenne».

6b   Comment faire opposition à un chèque
Avant d'écouter le reportage
Introduction

Le reportage qui suit indique les conditions dans lesquelles on peut annuler un chèque. Les circonstances sont assez limitées, comme vous allez l'entendre.

Après avoir écouté le reportage

1

Complétez les blancs dans le texte avec les mots exacts du reportage :

Si vous avez acheté un article, par exemple un ...(**1**)... , et qu'en rentrant chez vous vous ...(**2**)... qu'il est en ...(**3**)... état, il vous est ...(**4**)... de faire opposition au chèque que vous avez donné au ...(**5**)... . Le chèque est un ...(**6**)... de paiement définitif : dès que vous le signez, vous vous ...(**7**)... à payer la ...(**8**)... inscrite de votre ...(**9**)... .

2

Répondez aux questions suivantes :

a Quels sont les deux cas dans lesquels vous pouvez faire opposition à un chèque ?
b Qu'est-ce que vous risquez si vous faites opposition à un chèque en dehors de ces deux cas ?

---

7   Ce que je crois

7a   Le foulard musulman

Avant d'écouter le reportage

Notes et vocabulaire

un contrat d'association	*in France, «les écoles privées» are independent, but subsidised by the state, which pays the teachers' salaries*
la circulaire Bayrou	*a letter sent by the then Minister of Education to school authorities concerning the headscarf worn by Moslem girls*
le principe de laïcité	*the principle that in state schools in France there should be no element of religious instruction and no use of religious symbols in furniture or garments*
le Tribunal Administratif	*one of 35 administrative tribunals which deal with cases involving members of the public and the administrative authorities*
le Conseil d'Etat	*the Council of State, based in Paris, which gives legal advice to the government*
un foulard	*headscarf*
déclencher	*to set off, release*
faire appel	*to make a legal appeal*
un recours	*recourse, legal remedy*
focaliser	*to concentrate, focus*
d'autant plus que	*the more so, since*
auprès de	*linked to*
un soutien	*support*
un réseau	*grouping or network*
affronter	*to confront*
contraignant (contraindre)	*obliging*
un syndicat	*union, professional association*
accueillir	*to welcome*
redouter	*to fear*

Après avoir écouté le reportage

1

Complétez les phrases suivantes dans le sens du reportage :
- **a** Dans certains lycées, les exclusions d'élèves …(**1**)… .
- **b** Au lycée Montfermeil, certaines élèves voilées ont été réadmises au nom de …(**2**)… .
- **c** Au mois de juin dernier, le Ministère estimait à …(**3**)… les jeunes filles voilées dans les établissements scolaires.
- **d** Après la circulaire Bayrou, il y en a seulement …(**4**)… .
- **e** Les jeunes filles concernées sont de nationalité …(**5**)… .

2

Répondez aux questions suivantes :
- **a** Qu'est-ce que la Commission Académique d'Appel a confirmé à Lille ?
- **b** Que font les avocats des élèves qui sont exclus à Lille ?
- **c** A quoi certaines associations de soutien scolaire sont-elles liées ?
- **d** Quelle a été la réaction des syndicats de professeurs à la circulaire Bayrou ?
- **e** Qu'est-ce que les syndicats de professeurs redoutent ?
- **f** Combien de jeunes filles voilées sont exclues au moment du reportage ?

7b Réunion des Protestants à Nîmes

Avant d'écouter le reportage

Notes

l'Assemblée du Désert	la période du Désert *is the name given to the years of persecution of protestants in France after the revocation of the Edict of Nantes in 1685*
l'Edit de Nantes	*a proclamation by Henri IV in 1598 which granted religious freedom*
le massacre de la Saint-Barthélemy	*in August 1572 a large number of French protestants were killed*

Après avoir écouté le reportage

1

Donnez les détails suivants :
- **a** Ce que l'Assemblée allait commémorer en 1998 : ……
- **b** Le nombre de Protestants qui ont assisté à l'Assemblée : ……
- **c** Les pays d'où ils sont venus : ……
- **d** La date de l'Edit de Tolérance : ……
- **e** L'âge de l'homme qui a été baptisé pendant l'Assemblée ……

2

Répondez aux questions suivantes :
- **a** Pourquoi l'Assemblée est-elle un moment précieux pour Marc Pernod ?
- **b** Quel est le thème d'actualité qu'on a célébré ?
- **c** Quel appel a été lancé par Michel Jace dans son sermon ?
- **d** Faites un résumé de ce que Ruben Sartory, un des fidèles de l'Assemblée, a dit.
- **e** Qu'est ce que le Pape a dit dans un discours récent ?

L'environnement

8a   Le manque d'eau

Avant d'écouter le reportage

> **Vocabulaire**
>
> | | |
> |---|---|
> | la sécheresse | *drought* |
> | un verger | *orchard* |
> | l'arrosage | *irrigation* |
> | le gaspillage | *waste* |
> | la nappe phréatique | *water table* |
> | la baignade | *bathing* |
> | l'étiage | *low water level* |

Après avoir écouté le reportage

1

Indiquez si les phrases suivantes sont vraies (✔) ou fausses (✘) selon le reportage :

   a   La situation actuelle est plus sérieuse qu'en 1976.
   b   La Drôme est en état de sécheresse.
   c   Dans la Drôme, il a plu au mois de juin.
   d   Dans la Drôme, le temps a été assez frais.
   e   Les agriculteurs peuvent arroser quand ils veulent.
   f   Malgré les économies, le niveau d'eau des rivières sera trop bas pour les poissons.

2

Complétez les phrases (1–5) en choisissant des compléments (a–g) et en suivant le sens du reportage :

   1   Les champs de maïs
   2   Les pouvoirs publics
   3   L'arrosage en pleine chaleur
   4   Les agriculteurs
   5   Les touristes

   a   est synonyme de gaspillage.
   b   sont priés d'arroser seulement la nuit.
   c   espèrent économiser 30% de l'eau destinée à l'agriculture.
   d   ont besoin d'eau.
   e   trouveront assez d'eau dans les rivières.
   f   peuvent se baigner entre dix heures le matin et dix-huit heures le soir.
   g   est essentiel pour les champs et les vergers.

8b Pollution sur les routes de Paris

Après avoir écouté le reportage

1

Complétez les blancs dans le texte avec les mots exacts du reportage :

Ce qui est important, c'est que pour la première fois, le Préfet de Police
...(**1**)... que la pollution ...(**2**)... à l'automobile effectivement est dangereuse et
que par ...(**3**)... , il faut maintenant ...(**4**)... à la façon ...(**5**)... ou au besoin
...(**6**)... certains ...(**7**)... de Paris à la ...(**8**)... lorsqu'il y a des peaks de
pollution. Donc, ça va dans le bon ...(**9**)... mais c'est extrêmement ...(**10**)... .
Il faut faire ce qu'ont fait les Milanais – avoir le courage ...(**11**)... simplement
la ...(**12**)... automobile dans les axes les plus ...(**13**)... de Paris.

2

Répondez aux questions suivantes :
- **a** Quels sont les éléments qui ont contribué à l'aggravation de la pollution au moment de la Fête Nationale ?
- **b** Qu'est-ce que la Préfecture de police a demandé de faire aux Parisiens ?
- **c** Quelle a été la réaction des écologistes à l'appel de la Préfecture de Police ?
- **d** Quelle est la solution proposée par le conseiller de Paris qui est interviewé ?
- **e** Quels sont les avantages des tramways ?

9 Culture des masses ?

9a La Bretagne

Avant d'écouter le reportage

Notes et vocabulaire

Lorient, Quimper, Pontaven, Nantes, Guérande, Dinard, Plestin-les-Grèves, Fougères	*some names of places mentioned in the report*
la Pointe du Raz	*a rocky promontory on the coast of Brittany*
Gaugin, Turner, Corot, Vazarelli, Matisse, Picasso, Yves Tanguy, Vlaminck	*some painters mentioned in the report*
éploré	*tearful*
séjourner	*to stay*
une toile	*canvas*
déchiqueté	*mangled*
recensé	*assembled, put in order*
un chaperon	*hood*

Après avoir écouté le reportage

1

Donnez les détails suivants :
- **a** Le nombre de participants attendus pour le Festival Inter-celtique : ......
- **b** Les dates du Festival : ......
- **c** Le thème de l'exposition au Musée Départemental à Quimper : ......
- **d** La date de clôture de cette exposition : ......

2

Répondez aux questions suivantes :
  a D'où viennent les participants au Festival Inter-celtique ?
  b Le thème de l'enfance a été populaire parmi les peintres de quel siècle ?
  c Depuis quand les peintres ont-ils cherché de l'inspiration en Bretagne ?
  d Qu'est-ce qui les a attirés ?
  e Qui a séjourné à Dinard ?
  f Quelle autre ville en dehors de la Bretagne était bien aimée des peintres selon le reportage ?
  g Combien de peintres sont inclus dans le livre mentionné ?

9b   Enquête sur le zapping
Après avoir écouté le reportage
1

Indiquez si les phrases suivantes sont vraies (✔) ou fausses (✘) selon le reportage :
  a Les émissions les plus zappées n'ont pas été faites pour la télévision.
  b Les films sont moins zappés que les autres programmes.
  c Selon les Français interrogés, la télévision est mauvaise.
  d Les jeunes zappent moins que les plus âgés.
  e Les personnes plus âgées s'ennuient plus vite que les jeunes.
  f Les Parisiens zappent plus que les gens qui habitent la campagne.

2

Complétez les phrases (1–6) en choisissant un complément (a–i) et en respectant le sens du reportage :

  1 Le zapping est
  2 Ceux qui zappent
  3 La télévision est
  4 La principale raison est
  5 La deuxième raison est
  6 Le résultat est

  a la curiosité.
  b un produit d'abrutissement.
  c c'est ceux qui détestent la télévision.
  d c'est ceux qui aiment la télévision.
  e un phénomène relativement nouveau.
  f l'ennui.
  g assez étrange.
  h que tout le monde la regarde.
  i une façon de regarder la télévision.

Questions sociales

10a   Solidarité – aide aux aveugles

Avant d'écouter le reportage

> **Vocabulaire**
>
> | | |
> |---|---|
> | une fuite | *leak (e.g. of water or gas)* |
> | la dactylographie | *typing* |
> | un standard téléphonique | *telephone exchange* |
> | doué | *gifted, capable* |
> | un atelier protégé | *sheltered workshop* |
> | un(e) bénévole | *voluntary worker* |

Après avoir écouté le reportage

1

Complétez les blancs dans le texte avec les mots exacts du reportage :

Alors, par un centre de formation qui …(**1**)… aux aveugles …(**2**)… capables d'entrer dans le …(**3**)… ordinaire du travail. On leur …(**4**)… dactylographie, massage et …(**5**)… . Et pour les moins …(**6**)… , un …(**7**)… ou un centre d'aide pour le travail. Les centres de formation ou autres sont gérés par des …(**8**)… . Par contre, les clubs culturels, de …(**9**)… ou sportifs et autres sont animés par des …(**10**)… .

2

Répondez aux questions suivantes :

a   Quand l'Association Valentin-Haüy a-t-elle été créée ?
b   Il y a combien de centres en France ?
c   Quelles sont les deux catégories de clients que l'Association veut aider ?
d   Comment les clients peuvent-ils contacter l'Association ?
e   Donnez des exemple de services qui sont demandés.
f   Est-ce que les membres de l'Association sont des personnes qualifiées ? Donnez des exemples.

10b   Motards aident enfants handicapés

Après avoir écouté le reportage

1

Répondez aux questions suivantes :

a   Combien de motards ont participé à cette initiative ? Et pour combien d'enfants ?
b   Pourquoi la Présidente de «Bikers' Dream» a-t-elle un intérêt personnel dans les problèmes des handicapés ?
c   Qu'est-ce que cette initiative apporte aux parents ?
d   Quelles sont les réactions des enfants ?
e   Quelle est la motivation qui pousse le motard interviewé à participer ?
f   Comment un des motards reste-t-il en contact avec sa jeune passagère ?

2

Faites une transcription de l'interview avec la Présidente de «Bikers' Dream» («Ça apporte énormément à l'enfant …… le problème du handicap.»).

La vie politique

11a Des jeunes reçus à l'Elysée

Avant d'écouter le reportage

> **Vocabulaire**
>
> | | |
> |---|---|
> | le perron | *(outdoor) steps* |
> | avec mention | *with credit* |
> | un videur | *bouncer* |
> | rébarbatif | *offputting* |
> | faire un bilan | *to take stock of* |
> | désormais | *henceforward* |

Après avoir écouté le reportage

1

Indiquez si les phrase suivantes sont vraies (✔) ou fausses (✘) selon le reportage :
  a Vingt-quatre jeunes, au total, ont été invités à la réception à l'Elysée.
  b Le jeune homme a embrassé le Président.
  c Monsieur Chirac était content d'être photographié.
  d Les jeunes l'ont trouvé facile à comprendre.
  e Les jeunes étaient uniquement des élèves de lycée.
  f En général, les jeunes ont eu une impression favorable du Président.

2

Complétez les phrases suivantes dans le sens du reportage :
  a Au moment où il parlait au reporter, Samir se trouvait...
  b Le jeune homme avait pris le Président par le coude parce qu'il...
  c Le Président a dit à son garde du corps : «.........»
  d Généralement, à la télé, les hommes politiques, ...
  e La rencontre avec les jeunes a permis au Président de...
  f Monsieur Chirac a dit qu'il avait invité les jeunes pour indiquer...

11b La Turquie pose sa candidature pour l'Union Européenne

Après avoir écouté le reportage

1

Mettez les phrases suivantes dans l'ordre dans lequel elles sont présentées dans le reportage :
  a Il s'agit en particulier du respect des droits de l'homme.
  b Elle est liée à l'Union par une union douanière.
  c On voit qu'il s'agit des anciens pays du bloc soviétique.
  d La Turquie fait partie du processus d'élargissement.

2

Répondez aux questions suivantes :
  a Le Président actuel de l'Union est de quelle nationalité ?
  b A quelle condition la Turquie pourra-t-elle être admise à l'Union Européenne ?
  c Quelle est la différence entre la situation de la Turquie et celle de l'autre groupe de pays mentionné ?
  d Donnez cinq exemples d'activités qui ne seraient pas tolérées dans un pays membre de l'Union Européenne.
  e Quel est le message que le Président de l'Union a transmis aux Turcs ?

Souvenirs de la guerre

12a Discours du Président de la République sur la déportation des Juifs

Avant d'écouter le reportage

> **Notes et vocabulaire**
>
> | | |
> |---|---|
> | le Vel d'Hiv | *the popular name for the* Vélodrome d'Hiver, *a covered track for cycle races* |
> | Vichy | *after the armistice with the Germans in 1940 the French government was set up in the town of Vichy* |
> | le Front National | *a party of the extreme right wing accused of wanting to minimise the massacre of the Jews during World War Two* |
> | l'accueil | *welcome* |
> | l'asile | *asylum* |
> | rafler | *to snatch* |
> | une gerbe | *wreath* |

Après avoir écouté le reportage

1

Donnez les détails suivants selon le reportage :

     a   La date de la rafle du Vel d'Hiv : ......

     b   Le nombre de victimes : ......

     c   Le nombre de fois qu'un Président avait assisté aux cérémonies de commémoration avant la participation de Monsieur Chirac : ......

     d   Ce que Monsieur Chirac a fait qui était nouveau : ......

2

Answer the following questions in English.

     a   What admission does Chirac make which had not been accepted before?

     b   What are the ideals of France which were betrayed in the sad events commemorated?

     c   What indicates that the President of the association of *Filles et Fils de Déportés* is satisfied with the speech?

     d   Why was there an implied criticism of Chirac's predecessor?

     e   Describe the events at Toulon.

12b Anniversaire de la libération de Strasbourg

Après avoir écouté le reportage

1

Indiquez si les phrases suivantes sont vraies (✔) ou fausses (✗) selon le reportage :

     a   Les autorités alliées ne voulaient pas autoriser Leclerc à libérer Strasbourg.

     b   Les hommes de Leclerc ont fait flotter le drapeau tricolore sur la ville.

     c   Les Allemands ont été calmes jusqu'au dernier moment.

     d   Les soldats français sont arrivés dans l'après-midi.

     e   La mère de Gérard Sherman l'a encouragé à aller dans la rue saluer les Français.

2

Répondez aux questions suivantes :

a La ville de Strasbourg fête dans ces célébrations combien d'années de liberté ?

b Quelle était la date exacte de la libération ?

c Qu'est-ce que Leclerc a dit à ses hommes après la libération ?

d Que faisaient les Allemands les deux derniers jours avant la libération ?

e Où est-ce que Gérard Sherman jouait quand sa mère lui a annoncé que Leclerc était proche ?

f Pour Gérard, qu'est-ce que la libération représentait ?

13   La culture : tous azimuts

Cinéma et théâtre

13a Le doublage des films étrangers

Avant d'écouter le reportage

Notes et vocabulaire

la loi Lang	*Jack Lang, former Minister of Culture and Communication; Jacques Toubon succeded Jack Lang in 1993*
un comédien	*actor*
le mimétisme	*mimicry*
une gamme	*pay scale*
les détecteurs	*technicians responsible for dubbing the sound track*
les monteurs	*editors (of film or tape)*
se débrouiller	*to cope with a situation*
une fiche de paie	*pay slip*
des artistes de complément	*supplementary artists*
crever de faim	*to die of hunger*

Après avoir écouté le reportage

1

Répondez aux question suivantes :

a Que font les comédiens qui travaillent au doublage depuis le 18 octobre ?

b Qu'est-ce que ces comédiens demandent ?

c Est-ce qu'ils sont mal payés ?

d Est-ce que les techniciens et monteurs sont bien payés ?

e Qu'est-ce que la loi Lang avait prescrit ?

f Quel est le problème concernant cette loi ?

g Qu'est-ce qu'un Ministre de la Culture devrait faire, selon la personne interviewée, au lieu de poser aux bras des stars sur des photos ?

2

Cherchez des phrases dans le reportage qui correspondent aux suivantes :

a Même si vous connaissez les voix des comédiens qui font le doublage, leurs noms vous sont inconnus.

b Serge Sauvion, vous êtes un peu comme l'Inspecteur Colombo.

c On ne travaille pas sur un bon acteur étranger sans devenir meilleur acteur.

d Les Américains ne sont pas obligés de suivre les traditions.

e Quel est le salaire d'un acteur qui fait du doublage ?

13b Le théâtre dans la rue

Après avoir écouté le reportage

1

Donnez les détails suivants :
   a Le nombre de personnes qui ont assisté au Festival en 1994 : ......
   b Le nombre de festivals qu'on a eu à Châlons : ......
   c La nationalité des artistes qui présentent le spectacle *Titanic* : ......
   d Ce qu'on peut acheter pendant le spectacle *Esclaves de leurs talents* : ......

2

Complétez les blancs dans le texte avec les mots exacts du reportage :
   Apporter du ...**(1)**... , ça veut dire aussi s'interroger sur ce que ...**(2)**... la rue,
   sur ce qu'elle ...**(3)**... aux gens. Le théâtre de rue n'est pas ...**(4)**... un théâtre
   de divertissement, c'est là pour ...**(5)**... aux préoccupations de nos ...**(6)**... . La
   grande différence avec le théâtre en ...**(7)**... , c'est, je crois, qu'il fait ...**(8)**... à
   plus d'imagination et plus de diversité de pratique des arts.

14   Qui juge ?

Le crime

14a Meurtrier filmé par une caméra de surveillance

Avant d'écouter le reportage

> #### Notes et vocabulaire
> | | |
> |---|---|
> | Charles Pasqua | *a French politician, former* Ministre de l'Intérieur |
> | une balle | *bullet* |
> | à bout portant | *point blank* |
> | dérober | *to steal* |
> | se déclencher | *to start, go off* |
> | un relevé bancaire | *bank statement* |
> | un retrait (d'argent) | *withdrawal* |
> | aux allures de | *looking like* |
> | un cadre | *white collar worker* |
> | éplucher | *to sort through (literally to peel)* |
> | un fichier | *file* |
> | un témoin | *witness* |
> | un cas d'école | *textbook (classic) case* |
> | en l'occurrence | *in the circumstances* |
> | nier | *to deny* |
> | un lieu public | *public place* |

Après avoir écouté le reportage

1

Répondez aux questions suivantes :
   a Où a-t-on publié les photos du suspect ?
   b De quoi est-il soupçonné ?
   c Les crimes ont été commis dans quelle période de temps ?
   d Comment les victimes ont-elles été tuées ?
   e Combien de fois le suspect avait-il utilisé les cartes bancaires ?
   f Comment est le suspect ?

g Qu'est-ce que la police a fait pour essayer de l'identifier ?
f Qu'est-ce que les autorités ont autorisé à Paris ?

2

Complétez les blancs dans le texte avec les mots exacts du reportage :
Quelle que …(**1**)… l'issue de cette …(**2**)… , difficile de …(**3**)… , en
l'occurrence, …(**4**)… de la vidéo-surveillance. C'est presque …(**5**)… . Charles
Pasqua …(**6**)… le soumettre à la …(**7**)… aux détracteurs de son …(**8**)… de loi
qui prévoit d' …(**9**)… les maires à …(**10**)… des caméras dans n'importe quel
…(**11**)… .

14b Vitesse en Porsche

Après avoir écouté le reportage

Faites un résumé du reportage basé sur les titres suivants :
Les circonstances de l'accusation contre le conducteur de la Porsche –
l'infraction dont il était accusé – l'argument de l'avocat – des détails sur le
projet de loi : la marge de vitesse qui constituera une infraction importante, le
nombre de points du permis qu'on risquera de perdre, l'amende qu'on pourra
imposer – des détails sur la loi en vigueur à présent.

15   Demain déjà ?

15a Démographie mondiale

Avant d'écouter le reportage

Vocabulaire

un milliard	*billion (1.000.000.000)*
un épouvantail	*scarecrow, spectre (= something frightening)*
une roupie	*rupee (an Indian coin)*
une dérive	*deviation*
le fœticide	*killing of the unborn child*
une échographie	*ultrasound scan*
l'amniocentèse	*amniocentesis (sampling of the fluid of the womb)*
une dot	*dowry (in India, parents of the bride must provide a sum of money as a gift to the young couple)*

Après avoir écouté le reportage

1

Donnez les détails suivants selon le reportage :
a La population mondiale en l'an 2030 : ……
b Le nombre d'enfants par femme en moyenne dans le monde : ……
c Le pays où il y a le plus de croissance dans la population : ……
d Ce que le fils de Madame Gandhi a fait : ……
e Ce qu'on offrait aux hommes pour les persuader d'être stérilisés : ……
f Pourquoi, en Inde, certaines personnes ne veulent-elles pas de fille ? (Donnez deux raisons possibles.) ……
g Un fait qui rend l'Inde unique au monde : ……

2

Complétez les blancs dans le texte avec les mots exacts du reportage :

> Pour mesurer l'ampleur du ...(1)... , car désormais la ...(2)... est l'objet de ...(3)... très passionnés, il faut savoir qu'en ...(4)... ans la population mondiale a ...(5)... . Nous étions trois milliards en ...(6)... . Nous serons ...(7)... milliards en l'an 2000. Selon René Dumond, l'une des causes de la ...(8)... actuelle du Rwanda est la ...(9)... . Sept millions et demi d'habitants sur un territoire ...(10)... français.

15b La France vieillit

Ecoutez le reportage en entier. Ensuite, écoutez le reportage en trois parties. Faites une pause entre chaque partie*, et préparez un résumé (en français ou en anglais) basé sur les notes suivantes :

Première partie

Nombre d'habitants en France en l'an 2020, selon l'INSEE
Composition de la population à partir de cette date
Profession de l'experte
Son opinion sur la vieillesse
L'explication de la durée de vie prolongée

Deuxième partie

Que dit un philosophe sur ce sujet ?
Vivre plus longtemps est bon – à condition de ...... ?
Comment découpe-t-on une vie ?
Le problème de la retraite
Le taux de naissance dans le monde

Troisième partie

Le phénomène suédois
Et en Italie et Espagne ?
La situation en France par rapport à l'Europe

---

* You will probably not be able to pause the tape precisely because of the speed of delivery, but this is not crucial. Just pause it as soon after the end of the section as possible.

Section One goes up to the point where the interviewer interrupts with the words «C'est ça. Tous les cinq ans, on gagne un an de plus.».

Section Two then ends with these words: «...mais on se retrouve avec cent millions pratiquement d'habitants supplémentaires sur la terre chaque année.».

Section Three begins immediately afterwards with the words «Il faut peut-être dépasser les limites de la France, ...» and goes on to the end.
